MW00389906

She was...

Ella era...

María Montez

Illustrations and book design by María Ocampo

www.cayenapress.org

ISBN 978-1733139267(Hardcover)

She was...
María Montez, Queen of Technicolor

María Montez

Ella era...
María Montez, la reina del tecnicolor

Text by **Raynelda A. Calderón**
Illustrations by **María Ocampo**

Cayena Press, Inc.
New York

María was born on June 6, 1912, in Barahona, a city in the Dominican Republic. Her father was Spanish, and her mother was Dominican. The second of ten siblings, she always wanted to be an actress.

María nació en Barahona, una ciudad en la República Dominicana, el 6 de junio de 1912. Su padre era de nacionalidad española y su madre, dominicana. La segunda de diez hermanos, siempre quiso ser actriz.

María was a girl with a lot of imagination. She created her own scenarios to playact. One day, during a visit to New York, she was seen by a talent scout who invited her to work in Hollywood. Her dream of becoming an actress had come true!

Fue una niña con mucha imaginación. Para jugar a la actuación creaba sus propios escenarios. Durante una visita a Nueva York fue vista por un cazatalentos, que luego la llevó a actuar en Hollywood, ¡su sueño de ser actriz se hizo realidad!

Since that moment, María dedicated herself to acting. She adopted the surname Montez in honor of Lola Montez, an Irish dancer she admired very much. However, her Hollywood career was not easy. She had to overcome many obstacles to become known as the leading actress of technicolor movies.

Desde entonces, María se dedicó a la actuación. Adoptó el apellido Montez en honor a la bailarina irlandesa Lola Montez, a quien admiraba mucho. Sin embargo, su carrera en la industria del cine no fue fácil. Tuvo que vencer muchos obstáculos para llegar a convertirse en la figura principal del cine a color.

Because Marí a was not born in the United States, one of the challenges she had to face was having to compete for roles with American actresses who spoke English without an accent and fit the Hollywood stereotype of the time—blond hair and blue eyes. In addition, Marí a did not have any experience or studies in acting.

Porque María había nacido fuera de Estados Unidos, entre sus retos estaba competir con actrices norteamericanas que hablaban inglés sin acento y encajaban en el prototipo de Hollywood de la época (cabello rubio y ojos azules). Además, no tenía ningún tipo de experiencia o estudios de actuación.

María refused to participate in films that required her to play the role of a maiden—the role for which most Latin actresses were cast at the time. She also refused to play the defenseless woman in danger who needed to be rescued by a man. No, she demanded her characters be strong and independent women who could fend for themselves.

Se negó a participar en películas interpretando personajes de doncella—generalmente asignado a las actrices latinas por aquel entonces. Tampoco aceptó actuar el rol de mujer indefensa, en peligro, que debía ser rescatada por un hombre. No, ella exigió interpretar personajes de mujeres fuertes e independientes capaces de valerse por sí mismas.

The funny thing is, it was precisely her strong Hispanic accent that made María a star of American cinema (she had taught herself English by reading magazines and listening to songs). Because of her lively presence and charming personality, she became known as the "Caribbean cyclone" and the "Dominican dynamite."

Lo curioso es que fue precisamente su fuerte acento hispano —aprendió inglés leyendo revistas y escuchando canciones en ese idioma— lo que la convirtió en una estrella del cine en Hollywood. Por su carismática presencia y encantadora personalidad llegó a ser conocida como el "ciclón caribeño", o la "dinamita dominicana".

Marí a was not intimidated by Hollywood executives who only wanted to offer her secondary roles in movies. Either she played the lead role—as a villain or as a heroine—or she wouldn't do the film at all!

No se dejó intimidar por los ejecutivos de Hollywood, que solo querían darle personajes secundarios en las películas. O le asignaban el papel principal —ya fuera como villana o como heroína— o no actuaba.

María's courage to do what she believed was right, her charm and self-confidence, led film studios to hire her as the leading actress in several films—and she did not disappoint. María proved her value as a Hispanic actress by filling the movie theaters every time.

La valentía de María para hacer lo que creía correcto, su encanto y confianza en sí misma, llevaron a los estudios de cine a contratarla como actriz principal en varias películas. María demostró su valor como actriz hipana al llenar las salas de cine en cada estreno.

As an actress, María created a unique image of herself and became a fashion icon! She made wearing turbans fashionable, and she was an expert at grabbing the attention of the public and the media. When she arrived at any place, she did it in such an eye-catching way, that everyone was compelled to turn and look at her.

Como actriz, María creó una imagen única, poniendo de moda los turbantes a la hora de vestir. Era experta en acaparar la atención del público y la prensa. Cuando llegaba a un lugar, lo hacía de manera tan viva y dramática, que todos tenían que voltear a verla.

She was so sure of herself that she once said in an interview, "When I see myself on the screen, I am so beautiful, I jump with joy!" But she could be also be very humble. In another interview, she admitted that her biggest barrier in Hollywood was her strong accent when speaking English.

Una vez dijo durante una entrevista, mostrando una profunda seguridad en sí misma: “cuando me veo en la pantalla, soy tan hermosa, ¡que salto de alegría!” También era capaz de dejar ver su lado humilde: en otra ocasión admitió que su mayor impedimento en Hollywood era su fuerte acento al hablar en inglés.

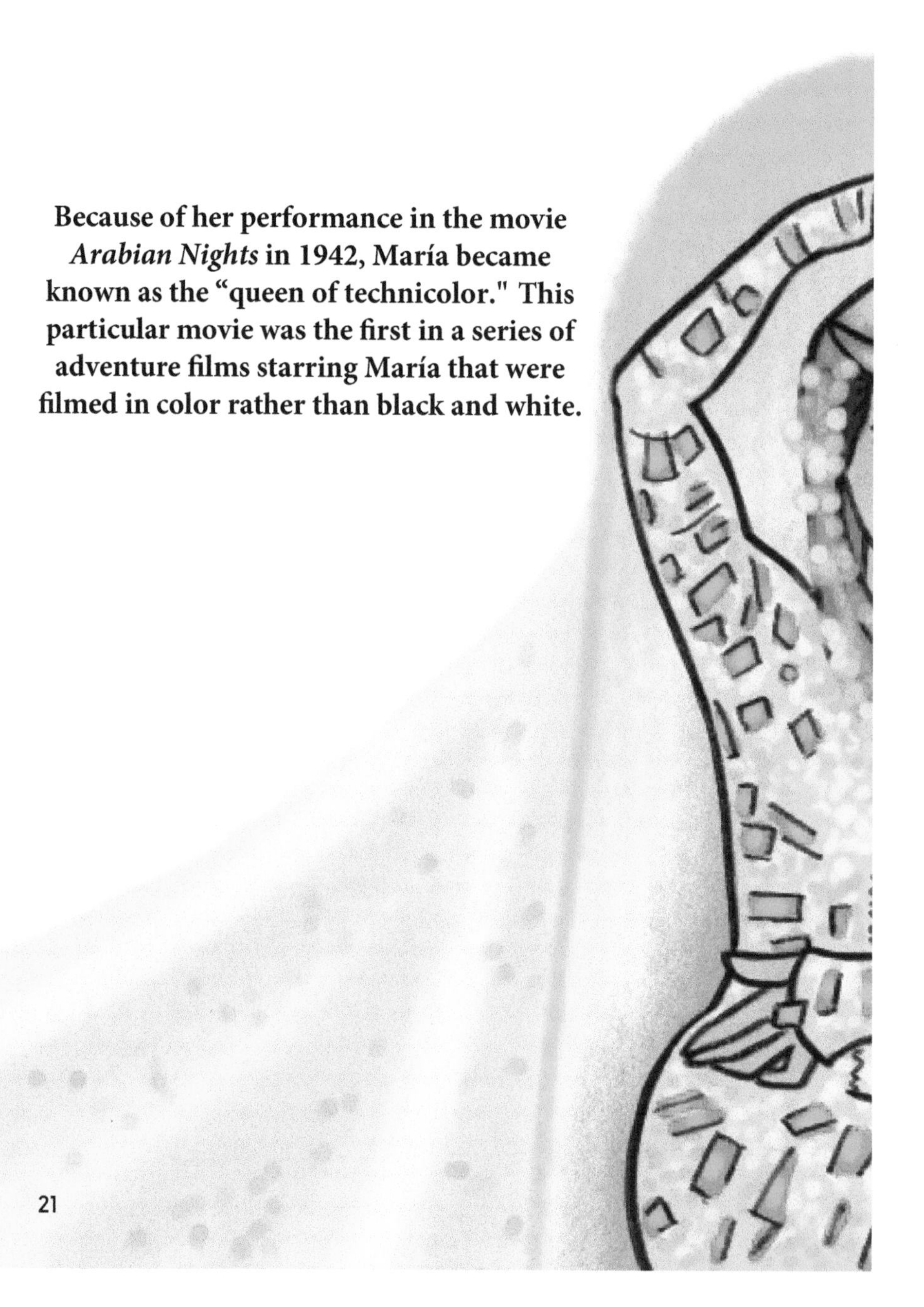

Because of her performance in the movie *Arabian Nights* in 1942, María became known as the "queen of technicolor." This particular movie was the first in a series of adventure films starring María that were filmed in color rather than black and white.

María llegó a ser mundialmente conocida como "la reina del tecnicolor" a partir de su actuación en la película *Arabian Nights* (1942). Esta fue la primera de una serie de películas de aventuras protagonizadas por ella, filmadas usando la tecnología de película a todo color.

She is recognized as one of the first Latinas to conquer Hollywood. Her work opened the doors for other Latinas who later came to Hollywood looking to star on the big screen. In the Dominican Republic, streets, parks, airports, and metro stations are named María Montez to honor her legacy.

María Montez es reconocida como una de las primeras actrices latinas en conquistar Hollywood. Su trabajo abrió el camino para otras como ella, que llegaron a Norteamérica buscando ser estrellas de la pantalla grande. En su honor, calles, parques, aeropuertos y estaciones de metro de la República Dominicana llevan su nombre.

About the author

Raynelda grew up in the Dominican Republic, on a healthy diet of romance novels, comic strips, Gabriel Garcia Marquez's books, and other literature. She has a doctorate in leadership in higher education and works as a librarian. Raynelda spends her free time thinking (and drafting) about books to write. As a librarian, her work with children inspire her to write books that highlight the accomplishments of Hispanic women in history. She hopes to inspire young readers to follow their passions and never take 'no' for an answer. Follow her on Instagram @raycc10.

Sobre la autora

Raynelda creció en la República Dominicana, con una dieta saludable de novelas románticas, tiras cómicas, los libros de Gabriel García Márquez y otra literatura. Tiene un doctorado en liderazgo en educación superior y trabaja como bibliotecaria pública. Raynelda pasa su tiempo libre pensando (y redactando) en escribir. Como bibliotecaria e hispana, su trabajo con niños la inspira a escribir sobre los logros de las hispanas en la historia. Raynelda espera poder inspirar a jóvenes lectores a seguir sus pasiones y nunca aceptar el "no" por respuesta. La puedes seguir en Instagram @raycc10.

About the illustrator

María is a graphic designer passionate about art. She likes to Paint, draw and be near the sea. She believes in the importance of representations and telling the stories that were hidden from us or were forgotten. María loves to work and seeks to understand the world around us. To see more of her work visit www.mariaoc.com.

Sobre la ilustradora

María es una diseñadora gráfica apasionada por el arte; le gusta pintar, dibujar y estar cerca del mar. Cree en la importancia de las representaciones y contar las historias que nos fueron ocultadas o fueron olvidadas. Ama trabajar y busca conocer y comprender el mundo que nos rodea. Puedes ver más de su trabajo en www.mariaoc.com.

Other Titles from Cayena Press, Inc.

Mama Tingo
Text: Raynelda A. Calderon
Illustrator: Marli Renee
ISBN: 978-1733139205
Edition: Bilingual

Anacaona, The Golden Flower Queen
Text: Viviana S. Torres
Illustrator: Maria Ocampo
ISBN: 978-1733139212
Edition: Bilingual

Little Giants: 10 Hispanic Women Who Made History
Text: Raynelda A. Calderon
Illustrator: Donna Wiscombe
ISBN: 978-1733139229
Edition: Bilingual

Little Giants: Coloring and Activity Book
Text: Raynelda A. Calderon
Illustrator: Maria Ocampo
ISBN: 978-1733139236
Editon: Bilingual

Available everywhere books are sold

On a budget? - Ask your local library to carry these books!

CPSIA information can be obtained
at www.ICGtesting.com
Printed in the USA
LVHW072107280521
688849LV00008B/512

9 781733 139267